EL GATO VOLVIÓ

Originally published as: *The Cat Came Back*

 Published by Scholastic Inc., 555 Broadway,
New York, NY 10012, by arrangement with Kids Can Press Ltd.
Printed in the U.S.A.
ISBN 0-590-48190-8

3 4 5 6 7 8 9 10 14 01 00 99 98 97

Para mi hermano Jim,
que conoce toda la canción.

EL GATO

Canción tradicional
Ilustraciones de Bill Slavin

SCHOLASTIC INC.
New York Toronto London Auckland Sydney

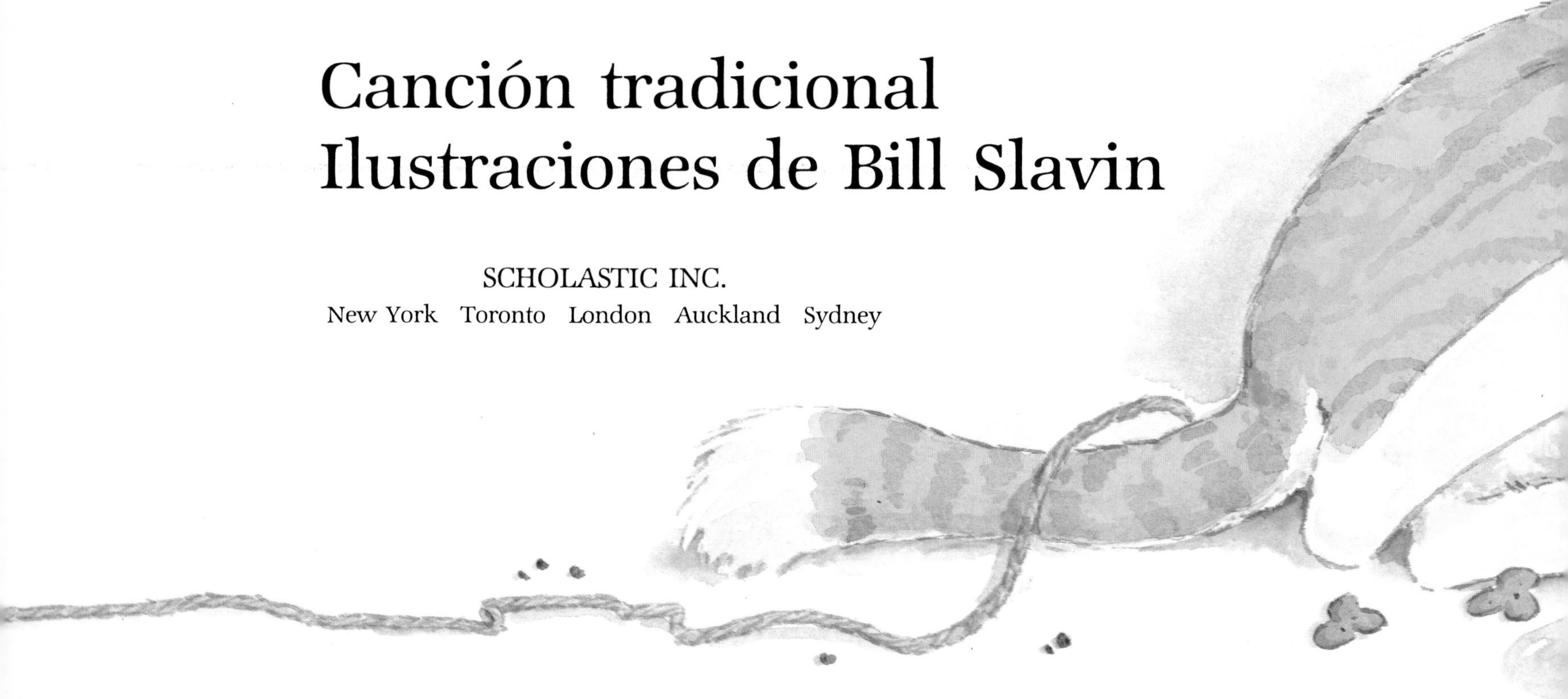

VOLVIÓ

Oh, pobre Juan tiene
problemas sin igual—
un gato callejero que
se quiere quedar.

Trató y trató,
lo trató de regalar.

En un transatlántico lo echó a la mar.

Mas el gato volvió,
volvió otra vez.
El gato volvió,
Juan pensó: “Por fin se fue”.
Mas el gato volvió,
¡no iba a dejar de volver!

HOY NO
QUEREMOS
LECHE
SHIP GO

Juan Tristón dio el gato
 a un hombre que pasó.
El hombre hasta la luna
 en globo lo llevó.

Pero en el viajón alguien
dice que falló.
¿Dónde están los dos?,
quisiéramos saber.

Mas el gato volvió,
volvió otra vez.
El gato volvió,
Juan pensó: “Por fin se fue”.
Mas el gato volvió,
¡no iba a dejar de volver!

QUESO DE LA LUNA

Juan Tristón le dio el gato a un hombre en un vagón.

—Señor, llévelo lejos a donde muere el sol.

Otro tren los chocó y volaron por el riel.

¿Qué pasó? ¿Dónde están? No se podrá saber...

Mas el gato volvió,
volvió otra vez.
El gato volvió,
Juan pensó: “Por fin se fue”.
Mas el gato volvió,
¡no iba a dejar de volver!

VENTA

El gato volvió padre con gatitos por montón.
Con Juan Tristón vivieron hasta el día en que el ciclón...

partió la casa en dos, los gatos
remontó y como a papalotes,

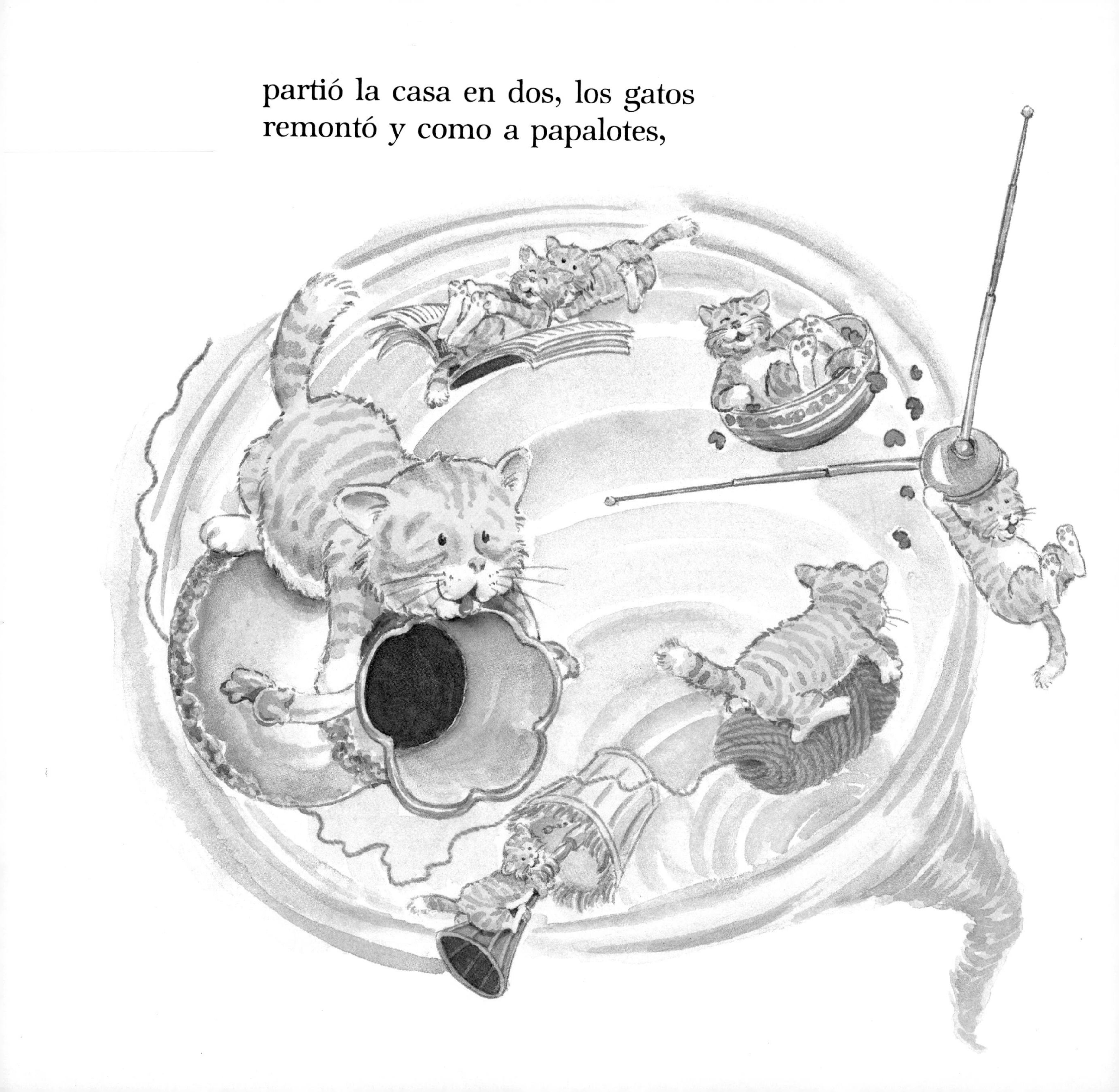

por el cielo se los vio...

Mas el gato volvió,
volvió otra vez.
El gato volvió,
Juan pensó: "Por fin se fue".
Mas el gato volvió,
¡no iba a dejar de volver!

TAXI

EL GATO VOLVIÓ
Oh, po - bre Juan tie - ne pro - ble-mas sin i - gual— un
ga - to ca - lle - je - ro que se quie - re que - dar.
Tra - tó y tra - tó, lo tra - tó de re - ga - lar.
En un tran - sa - tlán - ti - co lo e - chó a la mar. Mas el

gato vol - vió, vol - vió o - tra vez. El
gato vol - vió, Juan pen - só: “Por fin se fue”. El
gato vol - vió, ¡no iba a de - jar de vol - ver!